EL DUENDE VERDE

Para la explotación en el aula de este libro, existe un
material con sugerencias didácticas y actividades que
está a disposición del profesorado en nuestra web.

© Del texto: Concha López Narváez, 1996
© De las ilustraciones: Rafael Salmerón, 1996
© De esta edición: Grupo Anaya, S.A., 1996
Juan Ignacio Luca de Tena, 15. 28027 Madrid
www.anayainfantilyjuvenil.com
e-mail: anayainfantilyjuvenil@anaya.es

1.ª ed., octubre 1996
19.ª impr., septiembre 2012

Diseño: Taller Universo

ISBN: 978-84-207-7487-9
Depósito legal: S. 116/2011

Impreso en Gráficas Varona
Polígono El Montalvo, parcela 49
Salamanca
Impreso en España - Printed in Spain

EL DUENDE VERDE

Concha López Narváez

NO ERES UNA UNA LAGARTIJA

Ilustración: Rafael Salmerón

Una de las cosas que más me gustan es inventar historias. ¿Sabes por qué? Pues porque siempre imagino que lo que ocurre en ellas es de verdad. Y si alguno de los personajes está triste, yo estoy triste; pero si está contento, yo estoy contenta. Y cuando, dentro de mi historia, alguien se sube a un árbol, yo me subo con él, y si es de noche y se pierde en el bosque, yo también tengo mucho miedo.

¿Sabes qué es para mí lo mejor de inventar historias? Que parece que estoy viviendo muchas vidas al mismo tiempo, la mía y las de mis personajes.

Pues leyendo sucede lo mismo, porque cuando leemos también imaginamos que lo que ocurre en el cuento es de verdad, y que los personajes son nuestros amigos.

Por eso, querido lector, siempre que invento una historia me pregunto a mí misma: ¿Les gustará a los niños? Y si me contesto que sí, que les gustará, enseguida me pongo a escribirla.

En las páginas de este libro hay una historia que yo he escrito especialmente para ti. Espero que te guste. Dentro de ella vive una lagartijita, verde y pequeña, que tiene los ojos rojos. Está buscando un amigo. ¿Quieres serlo tú? Estoy segura de que sí. Muchas gracias por cuidármela.

Un abrazo de

Concha López Narváez

*Para mis amigos profesores y alumnos
del colegio San José Obrero
de Pozuelo de Alarcón,
agradeciendo su colaboración y ayuda.*

Detrás de aquella roca hay alguien
muy pequeño. Acaba de nacer y está
contento.

¡Oh, cuántas cosas ve!

En el aire ve pájaros. Son muchos,
y ¡cómo se divierten...!: suben, bajan,
se alejan y de nuevo regresan...

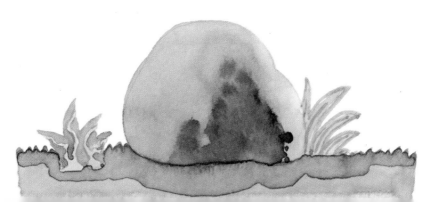

En el prado ve árboles y flores.

Los árboles son altos y parecen muy serios.

Las flores son pequeñas y alegres.

Sobre la hierba van y vienen mariposas, cigarras, caracoles, saltamontes, orugas, hormigas, mariquitas... Hay gran animación. Es igual que una fiesta. Y allá arriba está el Sol, que lo ilumina todo.

«Me gusta este lugar», piensa
el pequeño ser recién nacido,
y comienza a salir de detrás de la roca.
Pero poquito a poco. Es tímido
y no conoce a nadie.
   Aparecen sus ojos.
Son rojos y curiosos.

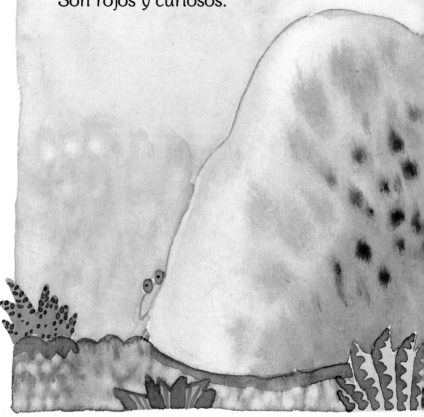

Les sigue la cabeza. Es menudita y verde. Después asoma el cuerpo, también de color verde. Es delgado y muy rápido. Camina a cuatro patas y arrastra una colita nerviosa y alargada.

—¿Quién eres tú?
—preguntan mariposas,
cigarras, hormigas,
saltamontes, mariquitas,
orugas, caracoles...

Pero el pequeño ser acaba
de nacer. No sabe casi nada.

—¿Quién soy yo? —pregunta
también él.

La inquieta mariposa despliega
sus alas de colores, revolotea, se posa
en una flor, lo mira y luego dice:

—No eres una mariposa.

La mariquita cuenta lunares negros en su traje color anaranjado, lo mira y luego dice:

—No eres una mariquita.

El saltamontes extiende
sus larguísimas patas, brinca, lo mira
y luego dice:
—No eres un saltamontes.

El caracol sale de su casa de concha,
lo mira y también dice:

—No eres un caracol.

—Ni una hormiga.

—Ni una cigarra.

—Ni un gusano.

—Ni una araña.

—Ni un escarabajo.

—Ni una abeja.

—Ni una avispa...

Le dicen uno a uno todos los demás seres que viven en el prado.

Y de pronto llega la lagartija.
Es verde y es curiosa. Su cabeza es
menuda y su cuerpo delgado y rápido.
Camina a cuatro patas y arrastra
una nerviosa y alargada colita.

El pequeño ser la mira con ojos de sonrisa. Pero la lagartija lo mira seriamente y enseguida le dice:

—Tengo los ojos negros y tú los tienes rojos. No eres una lagartija.

—Pues entonces, ¿quién soy yo?
—No eres una mariposa.
—No eres una mariquita.
—No eres un saltamontes.
—No eres una hormiga.
—Ni un caracol.
—Ni una cigarra.
—Ni un gusano.
—Ni una araña.
—Ni un escarabajo.
—Ni una avispa.
—Ni una abeja...

—Ni tampoco una lagartija —repiten
los seres de la pradera. Y después
dicen—: Eres distinto a todos.
Por lo tanto tú eres un ser extraño
y monstruoso.

—¿Qué hacen los seres
monstruosos? —pregunta
el pequeño ser.

—Cosas monstruosas
—le responden.

—Como, por ejemplo, pisar
las plantas y deshojar las flores.

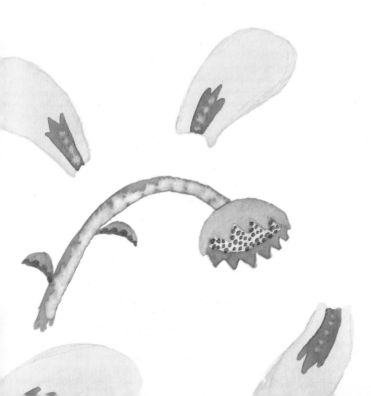

—O asustar a la gente.

—O romper las ramas de los árboles.

—O robar los huevos de los pájaros.

—O destrozar nidos y madrigueras.

—¡Oh! No, yo no quiero hacer eso —protesta el pequeño ser.

—No tienes más remedio. Los seres monstruosos hacen cosas horribles.

—Pero soy muy pequeño. Apenas tengo fuerzas.

—Crecerás enseguida. Los seres monstruosos siempre crecen deprisa.

—¿Estáis seguros?

—Completamente.

Ahora el pequeño ser siente
tanta tristeza que el corazón le aprieta.
Necesita estar solo y de nuevo
se oculta detrás de aquella roca.

Pero los otros seres lo insultan
y le gritan:

—¡Márchate! No queremos tener
a nadie monstruoso cerca de nuestras
casas.

—También mi casa es ésta —dice
el pequeño ser.

—¡Vete inmediatamente!

—No es justo —dice el pequeño ser
y su voz sabe a lágrimas.

Pero los otros seres cogen piedras
y palos.

—¡Márchate!

—¡Greg! —ruge el pequeño ser.

Y dentro de su pecho va creciendo
la rabia al lado de la pena.

Los hijos chiquitines de los seres
del prado se asustan y huyen todos.

Hay que ver cómo gritan, corren
y se tropiezan.

Pero el pequeño ser se divierte
espantándolos:
—¡Greg!
Y de pronto, ¿qué ocurre?
Ocurre que le crecen las patas,
la cola, el cuerpo y la cabeza.

El pequeño ser
se asombra y piensa:
«Tengo los ojos rojos, soy diferente
a todos y crezco muy deprisa. No hay
duda, soy un ser monstruoso. Pues
me iré por el mundo y haré cosas
horribles.»

El ser monstruoso se va
de la pradera. Pero antes aplasta
la verde hierba y deshoja las flores.

Y de nuevo todo su cuerpo crece.

Y ahora ya no es tan pequeño.
Ahora es un ser monstruoso
de tamaño mediano.

El ser monstruoso de tamaño
mediano se dirige hacia el monte.
En el monte destroza todas
las madrigueras. Conejos y ratones
escapan asustados y abandonan
sus casas.

El monstruo se divierte
y nuevamente crece.

Enseguida va al bosque y quiebra
las ramas de los árboles y roba
los huevos de los pájaros. Ni árboles
ni pájaros se saben defender y
el monstruo se sigue divirtiendo.

Ocurre lo de siempre y su tamaño
aumenta. Es un monstruo muy
grande.

Ahora el monstruo muy grande marcha hacia la ciudad.

En la ciudad destroza los semáforos, arranca papeleras y rompe los cristales de puertas y ventanas.

Los coches se detienen y corre todo el mundo.

¡Qué lío tan tremendo!

Hay que ver cómo se ríe
el monstruo. Pero crecen sus patas,
su cola, su cabeza y su cuerpo.
Y ya es un monstruo enorme.

Ahora el monstruo enorme va camino del parque. Cuando lo ven llegar, todos los niños gritan y corren a esconderse. Todos los perros ladran y huyen con el rabo metido entre las patas.

Pero en el parque hay alguien
que no corre ni grita. Es la niña
que no hace jamás dos cosas a la vez.
Y ahora hace un castillo, por eso
no se asusta. Está muy ocupada,
ni alza la cabeza.

El monstruo enorme no entiende
lo que ve. La mira con enfado,
y sus ojos rojos parecen dos volcanes.
Pero la niña sigue sin asustarse.

—¡Greg! ¡Soy un ser monstruoso!
¡Hago cosas horribles! —le grita
el monstruo enorme.

—Por favor, tráeme cuatro banderas.
Las necesito para mis cuatro torres
—dice la niña.

—¡Qué niña tan extraña! —exclama
el monstruo y luego piensa: «El castillo
es hermoso, y aún lo sería más
si tuviera banderas...»

El monstruo enorme duda:

«Soy un ser monstruoso, no puedo
hacer favores.»

Aunque al fin se decide:

«Le daré sus banderas, pero luego seré mucho más monstruoso.»

El monstruo enorme se acerca a un árbol próximo y coge cuatro hojas. Lo hace con cuidado para no lastimarlo.

Y de pronto, ¿qué ocurre?

Ocurre que se encogen sus patas, su cola, su cabeza y su cuerpo. Ya no es un monstruo enorme. Simplemente es un monstruo muy grande.

La niña pone las cuatro hojas
sobre las cuatro torres. ¡Tiene cuatro
banderas!

—Adiós, soy un ser monstruoso.
Me voy a seguir haciendo más cosas
monstruosas —dice el monstruo.

—Pero antes ayúdame. Tengo
que hacer un foso que rodee
mi castillo —pide la niña.

El monstruo se enfurruña:

«Pero, ¿qué se ha creído la niña
impertinente? Soy un ser monstruoso.
Aunque después de todo, un foso
es necesario si se tiene un castillo...
Muy bien, excavaré su foso. Pero luego
me iré y haré cosas horribles.»

El monstruo se afana y saca arena.
Y el foso ya está hecho. ¡Cómo sonríe
la niña!

Y sucede que al monstruo las patas
le vuelven a encoger, y lo mismo
sucede con su cuerpo, su cabeza
y su cola.

—Me voy. Soy un ser monstruoso,
y ya estoy retrasado —le dice a la niña.

—Pero antes ayúdame. Tengo que
hacer un puente para cruzar el foso.

El monstruo piensa y duda:

«Soy un ser monstruoso, pero todos los fosos tienen sus propios puentes... En fin, me quedaré. Más tarde tendré tiempo de hacer cosas horribles.»

Cuando el puente se acaba, la niña está feliz y el monstruo encoge nuevamente. Ahora ya no es enorme, ni muy grande, ni siquiera ya es grande. Cualquiera que lo vea dirá que es un monstruo de tamaño mediano.

«Se me están olvidando las cosas monstruosas. Tengo que irme pronto», piensa, y se pone en camino.

Pero la niña dice:

—No hay un solo castillo que no tenga murallas.

Y el monstruo da la vuelta y empieza a poner piedras.

Y sus patas encogen, y su cola, su cabeza y su cuerpo.

¡Al fin! La muralla está alzada
y el castillo completo.

Y en el mundo no hay niña
más contenta ni monstruo
más pequeño.

—Adiós, tengo que irme. No puedo
esperar más, soy un ser monstruoso
—dice el pequeño monstruo y su voz
suena triste.

—Pero espera un momento.
No te he dado las gracias —dice
la niña. Y lo mira con los ojos atentos.
Ahora puede hacerlo, su trabajo
ha acabado.

—No eres ningún ser monstruoso
—le dice.

—Sí lo soy. Yo soy distinto a todos.

—No lo eres. Eres verde y pequeño, alargado y nervioso. Eres muy parecido a cualquier lagartija.

—Pero las lagartijas tienen los ojos negros y yo los tengo rojos.

—Algunas lagartijas tienen los ojos rojos.

El pequeño monstruo comienza a emocionarse:

«¿Seré una lagartija?»

Es una lagartija, la niña lo repite.

—En el prado dijeron que era
un ser monstruoso.

—Pero se equivocaron.

—¿Estás segura?

—Completamente.

El pequeño monstruo da tres saltos
de gozo y pregunta:

—¿Y qué hacen las lagartijas?

—Corren por todas partes, trepan por las paredes y se tumban al sol. Y cuando el sol se marcha, buscan un buen lugar para pasar la noche.

—¡Bravo, esa vida me gusta! —dice la lagartija.

Después dice adiós a la niña
y se marcha a recorrer el parque.
¡Zas! Está aquí y está allí. ¡Cuánta
velocidad! Enseguida trepa por las
paredes. Luego se tumba al sol...
Y cuando el sol se marcha,
se va a pasar la noche en el castillo
de arena, cierra sus ojos rojos
y tiene alegres sueños.